NARUTO

BLOC DE JEUX

LE COMBAT DES NINJAS !

FLEURUS

EN AVANT POUR LE COMBAT !

Les ninjas sont en place pour combattre.
Relève le défi en trouvant les sept différences
entre ces deux images pour pouvoir te joindre
à eux et entrer dans le combat !

ATTENTION AUX SHURIKENS !

Les ninjas préparent leurs armes : épées, éventails géants, aiguilles... et évidemment les shurikens, ces armes traditionnelles japonaises de lancer, utilisées pour le combat. Elles peuvent provoquer de sacrés dégâts. Combien en comptes-tu sur cette page ?

IL Y A ＿＿ SHURIKENS

DES COULEURS POUR NARUTO

Avant qu'il ne parte au combat,
Naruto doit absolument retrouver ses couleurs
pour être le plus fort. Aide-le avec tes feutres
et tes crayons !

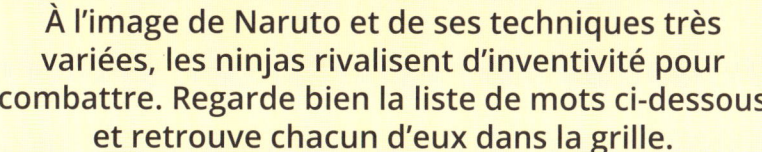

LES MOTS DU COMBAT

À l'image de Naruto et de ses techniques très variées, les ninjas rivalisent d'inventivité pour combattre. Regarde bien la liste de mots ci-dessous et retrouve chacun d'eux dans la grille.

ARMES
ATTAQUE
BANDIT
BATAILLE
BOMBE
BOUCLIER
COMBAT
COMBINAISON
ENNEMI
ÉPÉE
FUSIL
INVOCATION
KIBA
KUNAÏ
LAME
NINJA
POURSUITE
PUISSANCE
SABLE
SABRE
SENBON
SHURIKEN
TECHNIQUE
VITESSE

J	A	V	R	I	M	E	N	N	E	R	B	A	N	D	I	T	O	R	O
F	P	E	A	C	R	T	Y	A	F	G	A	I	S	D	X	A	Z	E	C
R	E	I	L	C	U	O	B	X	T	O	B	P	C	Z	P	T	S	Q	O
A	E	T	M	A	L	T	S	O	Z	F	E	R	I	E	R	T	O	C	M
D	S	H	U	R	I	K	E	N	P	U	S	D	P	U	T	A	N	F	B
U	E	Z	A	Q	S	D	F	L	M	S	I	Y	K	Q	O	Q	O	L	I
C	N	O	I	T	A	C	O	V	N	I	T	H	U	I	H	U	B	O	N
X	D	R	T	M	C	A	Z	E	R	L	V	U	N	N	A	E	N	M	A
S	C	F	T	Y	U	S	S	I	P	A	I	P	A	H	K	Z	E	S	I
A	P	P	O	U	R	S	U	I	T	E	T	L	I	C	U	S	S	W	S
Y	M	L	K	O	A	Z	R	U	Y	R	E	K	U	E	L	M	J	A	O
B	A	T	A	I	L	L	E	Z	P	F	S	R	T	T	I	P	L	A	N
A	O	P	H	O	I	L	P	Q	U	Z	S	E	W	C	E	L	A	M	E
T	D	A	G	H	J	M	E	O	I	E	E	R	B	A	S	D	E	S	V
I	M	L	C	X	T	G	E	R	S	N	E	R	B	M	E	T	P	E	O
P	O	P	E	A	O	A	N	T	S	B	Q	U	A	E	M	B	S	G	S
M	Z	I	B	R	U	J	I	P	A	T	T	R	L	A	R	O	S	E	A
I	N	M	A	A	S	N	J	O	N	I	E	B	C	H	E	M	I	S	B
H	O	J	R	S	A	I	O	R	C	P	A	I	V	E	P	B	R	P	I
C	P	O	U	T	B	N	N	Z	E	S	O	T	A	R	M	E	S	A	K

LE SUDOKU DES NINJAS

Es-tu prêt à relever le défi des ninjas ? Oui ?
Pour cela, complète cette grille avec les six images
déjà présentes. Redessine-les en faisant en sorte que
chaque colonne, chaque ligne et chaque carré de six
cases comportent chaque image.

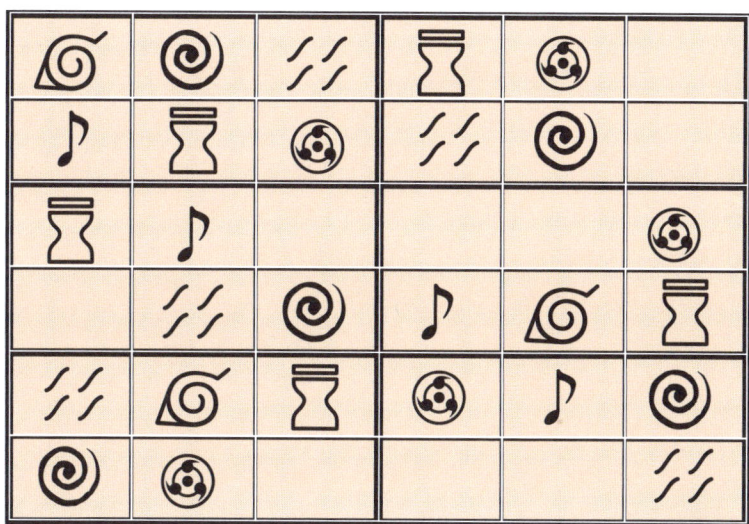

DANS L'OMBRE DE NARUTO

Attention ! Naruto a attrapé ses Kunaï !
Il est prêt à passer à l'action. Mais comme tout
bon ninja, il sait se tapir dans l'ombre. Sauras-tu
retrouver la bonne ombre qui lui correspond parmi
les cinq qui se trouvent sur cette page ?

J'ARRIVE, SASUKE !

Avant d'affronter de nouveaux ennemis, Naruto doit vite retrouver Sasuke qui va l'aider au combat. Aide-le en lui faisant prendre le bon chemin !

DÉPART

ARRIVÉE

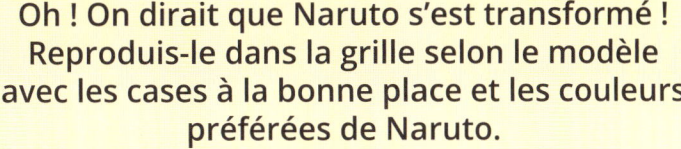

Oh ! On dirait que Naruto s'est transformé !
Reproduis-le dans la grille selon le modèle
avec les cases à la bonne place et les couleurs
préférées de Naruto.

Aide Sakura à compléter cette suite logique
pour qu'elle puisse ensuite rejoindre Tsunade qui va
l'aider à développer des techniques de combat !

QUELLE NINJA !

Après un grand entraînement,
Sakura a développé ses compétences.
Quelle ninja ! Félicite-la en lui redonnant
de belles couleurs.

LE COMBAT MÉLANGEUR

Relie chaque personnage à son nom. Mais attention, à la suite d'un combat entre Naruto et Kiba avec son chien Akamaru, toutes les lettres ont été mélangées. Remets-les dans l'ordre.

SOUD

KASURA

RUTONA

HAUK

AGARA

CORK ELE

HIKKASA

KAUSES

LA BEAUTÉ DU COMBAT

Rock Lee, surnommé la « fougue de la jeunesse »,
est prêt à combattre. Mais avant d'envoyer
un coup surpuissant, redonne-lui quelques couleurs
avec tes crayons et tes feutres.

ROCK·LEE

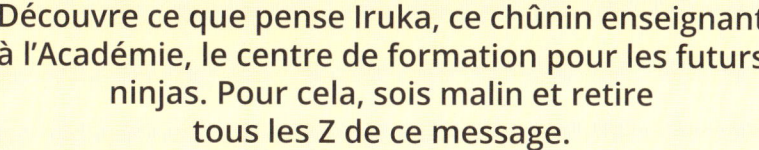

IRUKA, PRÊT À TOUT !

Découvre ce que pense Iruka, ce chûnin enseignant à l'Académie, le centre de formation pour les futurs ninjas. Pour cela, sois malin et retire tous les Z de ce message.

IZL NZEZ FZAZUT PZAS HZÉZSIZTZER
ZÀ SZEZ ZSAZCRZIZFI ZEZR PZOUZR
ZSZAUZVZERZ NAZRZUZTZOZ EZT ZTOZUZS
ZLZEZS ZAUZZTREZS ZEZNFZANZTZS DUZ
VIZLZLZAZGE, ZSIZ BZEZSZOZIZN ! MZOZN PZÈZRZE
ZMZEZ RÉZPÉZTZAZIZT TOZUZJOZUZRSZ QUZ'IZL
FZAZUZT TZOZUZZJOZUZRZS ZLZEZS
ZPROZTÉZGEZRZ.
EZSZ-ZTZUZ PRZÊZTZ
PZOZUZRZ ZÇZAZ ?

UNE NOUVELLE ATTAQUE !

Pas de répit pour les combattants. Car tu le sais,
les vilains rodent et les attaques menacent.
Et parfois, elles sont sournoises. Comme ce poster
déchiré. Remets les morceaux dans l'ordre
pour que l'image soit complète.

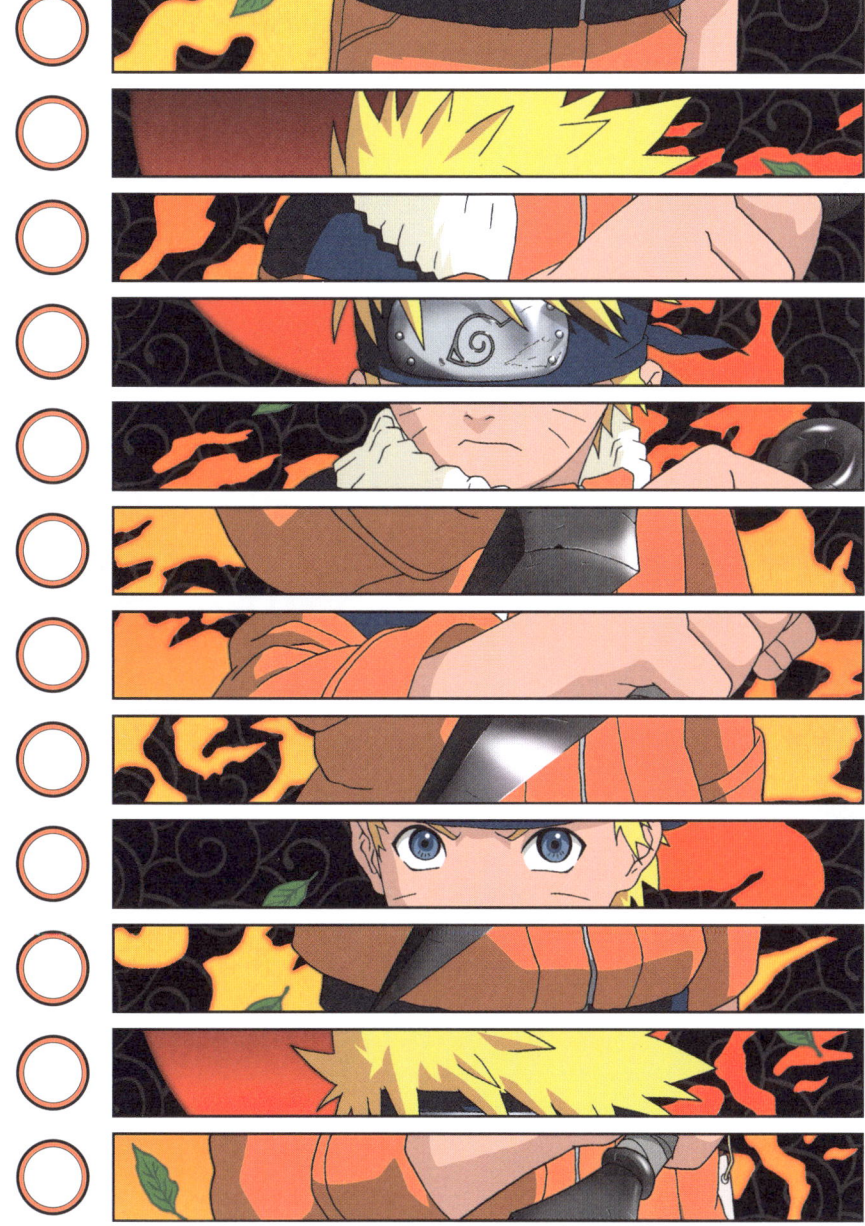

DES ARMES POUR NARUTO

Au combat, il est nécessaire d'être bien armé.
Pour que Naruto le soit, reconstitue les mots
en reliant les étiquettes ci-dessous. Un mot peut
être formé avec deux, trois ou quatre étiquettes,
sois attentif !

MARIONNETTE - MAKIBISHI - DAKÔ - KUNAÏ

TONFA - KOKUTÔ - SHURIKEN - SCALPEL

MARI	ON	TÔ
MA	KÔ	
DA	RI	
KU	NAÏ	NETTE
TON	KIBI	
KO	KU	KEN
SHU	PEL	
SCAL	FA	SHI

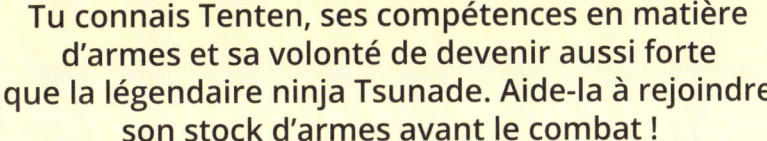

LES ARMES DE TENTEN

Tu connais Tenten, ses compétences en matière d'armes et sa volonté de devenir aussi forte que la légendaire ninja Tsunade. Aide-la à rejoindre son stock d'armes avant le combat !

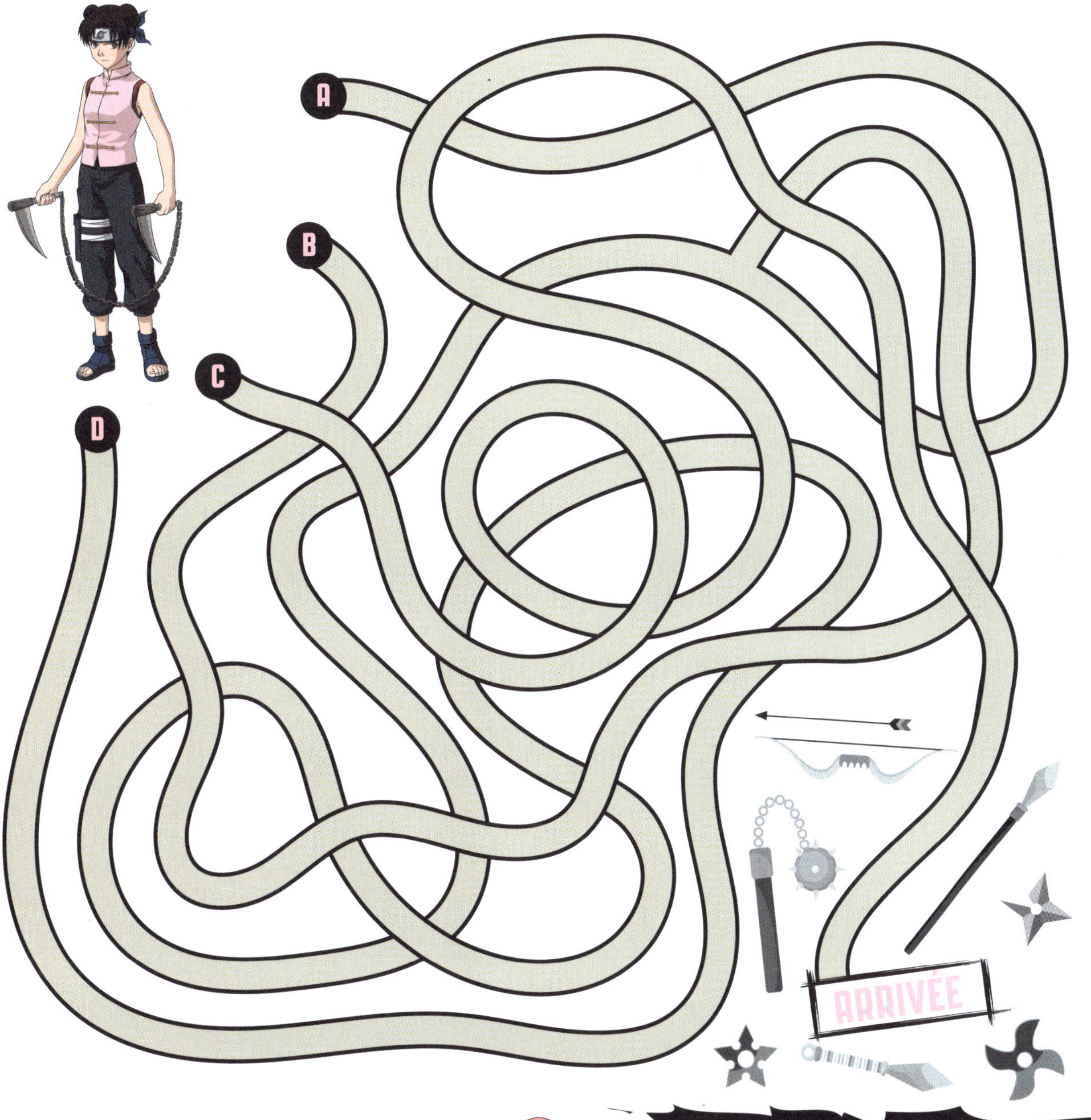

A

B

C

D

ARRIVÉE

OUVRE L'ŒIL, JEUNE NINJA !

Le titre de Hokage est donné au chef de village de Konoha. C'est le but ultime de Naruto qui pense qu'on ne peut le devenir si on laisse tomber ses amis. Mais peut-on être un Hokage en trouvant les sept différences entre ces deux images ? Pour le savoir, cherche bien !

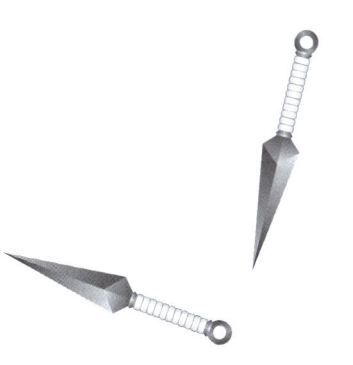

UN KUNAÏ PIXELLISÉ !

Le combat fait rage ! Et Sasuke et Sakura ont besoin d'un Kunaï. Vite, reproduis celui-ci dans la grille pour aider les deux combattants !

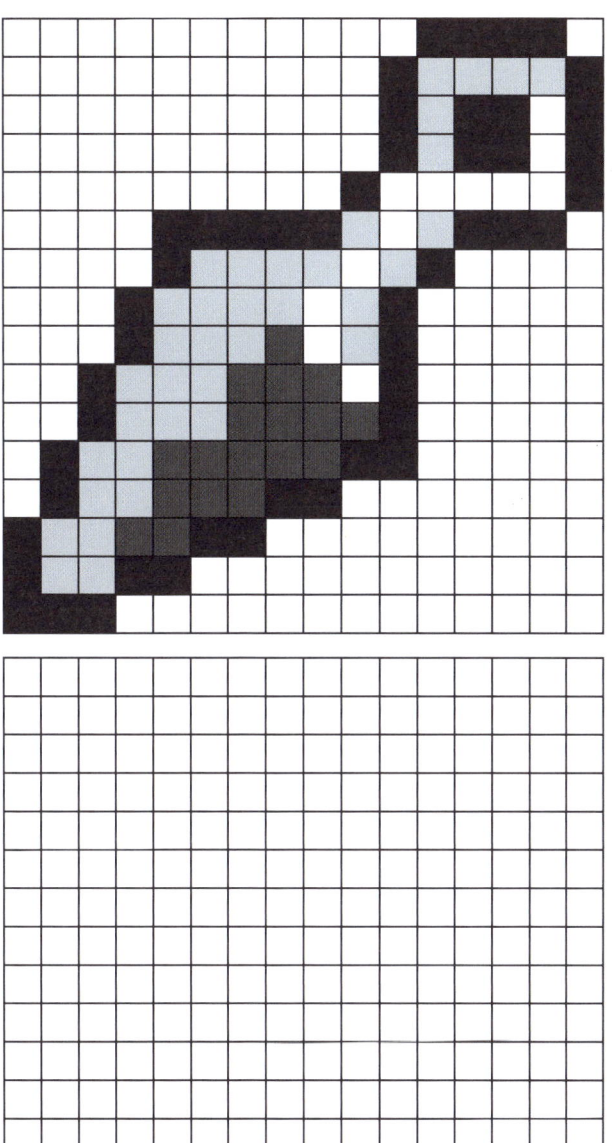

LA PHRASE MYSTÈRE DU NINJA

Raye les mots de la liste dans la grille.
Ils peuvent être à la verticale, à l'horizontale,
en diagonale ou à l'envers. Une fois tous les mots
rayés, entoure les lettres restantes. Lis-les dans
le sens de la lecture. Tu découvriras alors une phrase
et le célèbre ninja qui l'a prononcée.

Liste de mots :

- AFFINITÉ
- AKATSUKI
- BIJÛ
- CHAKRA
- CHEF
- CLAN
- CODE
- CULTE
- DÔJUTSU
- EAU
- ERMITE
- FEU
- FÛINJUTSU
- FÛTON
- HOKAGE
- KAGE
- KINJUTSU
- MOINE
- MUDRÂ
- NINPÔ
- NUKENIN
- PAYS
- RAIKAGE
- RYÔ
- SANNIN
- SENSEÏ
- SHINOBI
- TAIJUTSU
- TOMOE

Grille :

J	D	O	J	U	T	S	U	E	N	C	A
E	C	L	A	N	R	F	E	H	C	H	F
O	P	N	I	N	M	O	I	N	E	A	F
N	E	V	B	I	E	O	Y	R	N	K	I
U	S		O	J	K	A	G	E	A	R	N
K	T	M	N	A	N	O	T	U	F	A	I
E	O	I	I	E	S	E	N	S	E	I	T
N	M	U	H	D	S	G	S	T	E	U	E
I	O	S	S	O	R	A	I	U	R	S	M
N	E	T	A	C		K	P	J	M	A	A
B	P	U		A	U	O	E	N	I	N	R
I	A	J	E	S	R	H	A	I	T	N	D
J	Y	I	T	O	L	E	U	U	E	I	U
U	S	A	L	N	F	E	U	F	A	N	M
R	K	T	U	E	G	A	K	I	A	R	U
A	T	O	C	U	S	T	U	J	N	I	K

LA PHRASE MYSTÈRE EST :

....

....

À L'ATTAQUE, KIBA ET AKAMARU !

Après avoir été blessé avec Akamaru, Kiba décide de repartir à l'attaque et de prêter main forte à Naruto dans les combats. Mais quand la nuit tombe, difficile de repérer Kiba et son chien. Et toi, y arriveras-tu ?

1

2

3

4

5

DES COMBATTANTS PAR PAIRE

Les combats sont difficiles surtout quand les ninjas
arrivent de partout. Parmi tous ces guerriers,
retrouve celui qui n'apparaît qu'une fois.

PAROLE DE NINJA !

Déchiffre ce message codé. Pour cela, aide-toi des lettres déjà placées. Une fois que tu auras découvert la phrase et son auteur, entoure l'ombre qui lui correspond en bas de page.

J	E
15	2

		S	
1	10	18	1

10	3

T	R		V						U	
16	7	4	5	4	18	9	9	2	10	7

A	H		N			
4	12	22	4	7	3	2

Q		I
19	10	18

			G	M			
4	10	6	26	2	3	16	2

C													
12	11	3	16	18	3	10	2	9	9	2	26	2	3	16

L			F							
9	2	14	14	18	12	4	12	18	16	2

D	
17	2

26	2	1

16	2	12	22	3	18	19	10	2	1

	O		K
7	11	12	24

9	2	2

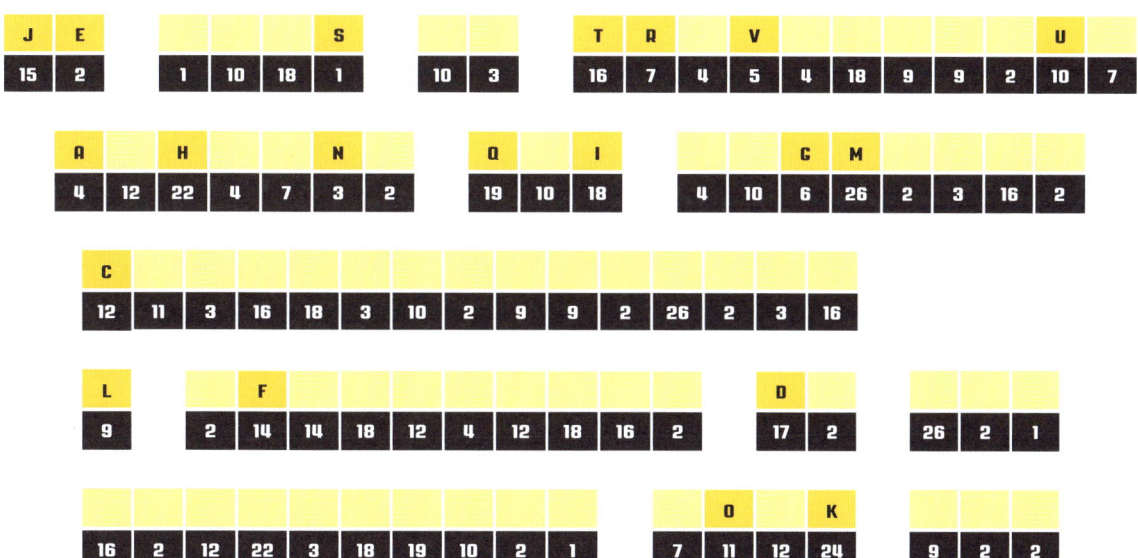

22

UN PUZZLE EN ÉCLATS !

Oh non ! Les combats sont tellement puissants que certaines pièces du puzzle ont volé dans les airs. Retrouve la place de chaque morceau pour reconstituer le puzzle.

A

B

C

D

E

F

DES COULEURS POUR NARUTO !

En plein combat, Naruto s'apprête à lancer une attaque. Mais tu ne remarques rien ? Il a perdu toutes ses couleurs. Vite, prends tes crayons et tes feutres pour le lui rendre et qu'il puisse gagner son combat !

QUI DIT QUOI ?

Comme toi, chaque ninja a son style et ses propres pensées. Relie chaque personnage à sa citation puis une fois que tu as fini, dessine ton autoportrait en mode ninja dans le cadre blanc en bas à droite.

« DANS LE MONDE DES NINJAS, CEUX QUI ENFREIGNENT LES RÈGLES SONT APPELÉS DES DÉCHETS. MAIS CEUX QUI NE SE PRÉOCCUPENT PAS DE LEURS AMIS SONT ENCORE PIRE. »

« CE N'EST PAS EN DEVENANT HOKAGE QUE L'ON GAGNE LA RECONNAISSANCE DES AUTRES. C'EST EN GAGNANT LA RECONNAISSANCE DES AUTRES QUE L'ON DEVIENT HOKAGE. »

« CE QUE J'AIME, CE SONT LES RÂMEN ! CE QUE JE DÉTESTE, C'EST LES TROIS MINUTES D'ATTENTE AVANT DE SERVIR LES RÂMEN. »

« LA SOLITUDE EST PLUS FORTE QUE LA RAISON. »

NARUTO

ITACHI

KAKASHI

GAARA

1, 2, 3, COMPTEZ !

Une attaque va se produire ! Ça sent le combat acharné ! Mais avant que tes héros ne passent à l'action, cherche dans cette scène les armes des ninjas et note leur nombre à côté. Puis trouve le morceau qui n'appartient pas à la scène.

NINJA EMMÊLÉ !

Pour connaître le nom d'un ninja
très important pour l'Académie, suis les fils
et remets les lettres dans l'ordre.

LES QUALITÉS DU NINJA NARUTO

Tu le sais, pour être un bon ninja, il faut avoir de nombreuses qualités en plus de la force. Et Naruto en a énormément. Retrouve celles de la liste dans la grille et place correctement chacune d'elles.

7 LETTRES :
COURAGE
FARCEUR
RESPECT

8 LETTRES :
DÉVOTION
EMPATHIE
FIDÉLITÉ

10 LETTRES :
PROTECTEUR

12 LETTRES :
PERSÉVÉRANCE

13 LETTRES :
DÉTERMINATION

LA PUISSANCE DE NARUTO !

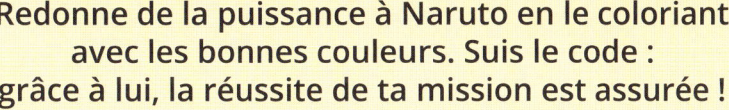

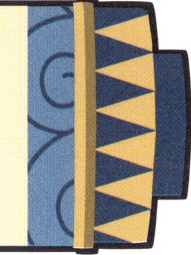

Redonne de la puissance à Naruto en le coloriant avec les bonnes couleurs. Suis le code : grâce à lui, la réussite de ta mission est assurée !

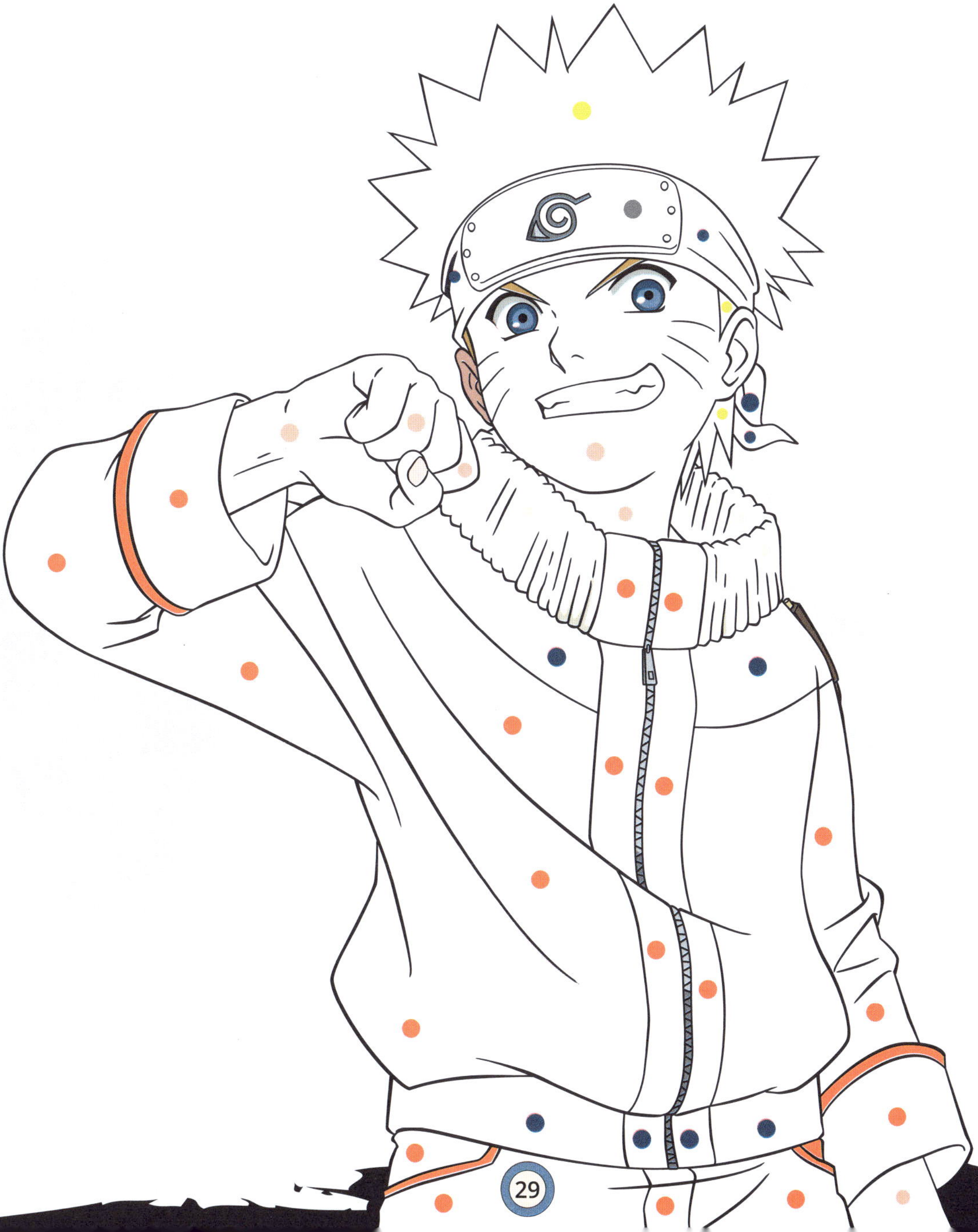

VRAI OU FAUX ?

Teste tes connaissances sur Naruto en cochant la bonne case. Une fois que tu as répondu aux questions, colorie le dessin en bas de page pour te récompenser.

1 L'ORPHELINAT DE KONOHA A ÉTÉ DIRIGÉ PAR NONÔ YAKUSHI.

○ **VRAI** — ○ **FAUX**

2 LE ROCHER SUR LEQUEL SONT SCULPTÉS LES VISAGES DES HOKAGE DE KONOHA S'APPELLE LE ROCHER DE KONOHA.

○ **VRAI** ○ **FAUX**

3 LE GRAND PONT DE NARUTO EST CELUI QUI RELIE LE PAYS DU VENT ET LE PAYS DU FEU.

○ **VRAI** ○ **FAUX**

4 L'ÎLE MOKUZU A UNE FORME DE CROISSANT DE LUNE.

○ **VRAI** — ○ **FAUX**

5 PARMI LES CINQ GRANDS PAYS NINJA, IL Y A LE PAYS DU VOLCAN.

○ **VRAI**

○ **FAUX**

ENTRE DEUX COMBATS

Les combats sont épuisants pour les ninjas.
Il faut reprendre des forces. Regarde bien cette
scène. Il existe sept différences.
Sauras-tu les retrouver ?

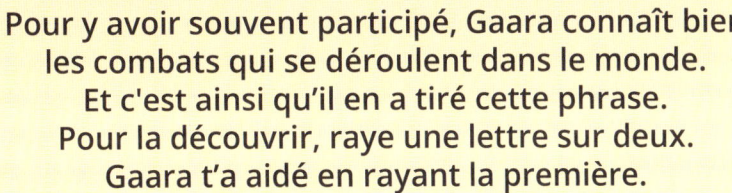

LA PHRASE MYSTÈRE DE GAARA

Pour y avoir souvent participé, Gaara connaît bien
les combats qui se déroulent dans le monde.
Et c'est ainsi qu'il en a tiré cette phrase.
Pour la découvrir, raye une lettre sur deux.
Gaara t'a aidé en rayant la première.

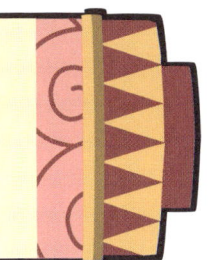

LA PHRASE MYSTÈRE EST :

« _____ _____ _____'__ _____ ____

____ _____ __ ____ _____ _____

_____ _____ _____ ____. »

AFFICHE EN MILLE MORCEAUX !

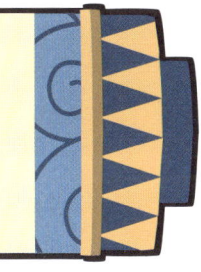

Oh non ! Regarde cette affiche. Elle a été déchirée. Serait-ce une nouvelle bêtise du farceur Naruto ? Aide-le à la réparer en remettant les bandes verticales dans le bon ordre.

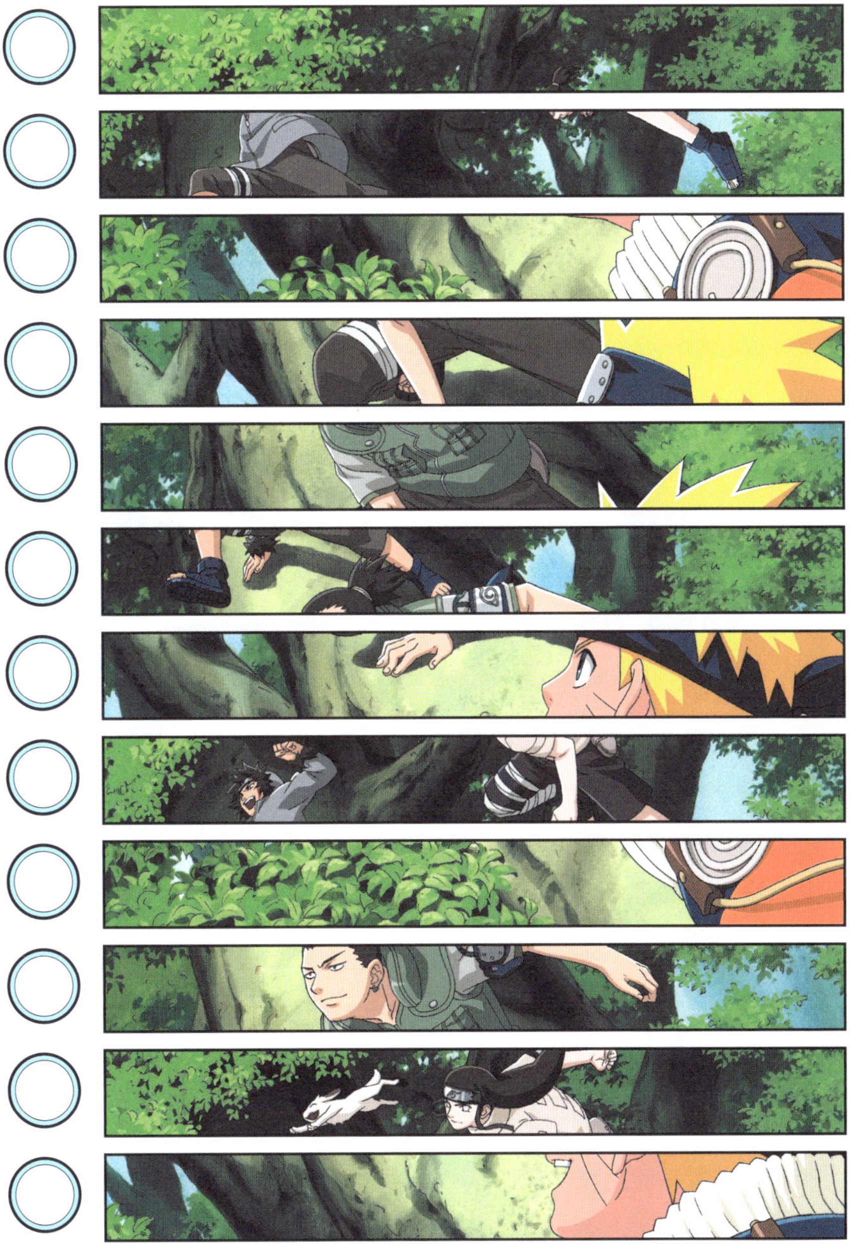

OUVRE LES YEUX !

Un ninja doit toujours garder les yeux
ouverts et être attentif à son environnement.
Teste-toi sur cette page, trouve toutes les paires
et entoure l'intrus. Prêt ?

Le Sharingan est surnommé « Pupille Céleste ».
C'est une transformation de l'œil dans lequel
le cœur se reflète. Mais auras-tu toi aussi ce pouvoir
en regardant attentivement la grille
pour reproduire ce dessin ?

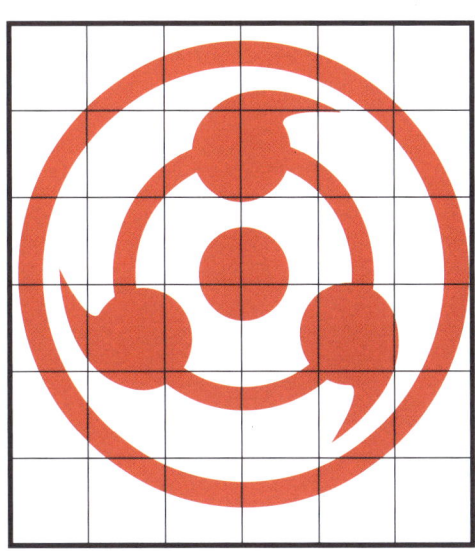

SOLUTIONS

PAGE 2 - EN AVANT POUR LE COMBAT ! :

PAGE 3 - ATTENTION AUX SHURIKENS ! :

Il y a 18 shurikens sur la page.

PAGE 5 - LES MOTS DU COMBAT :

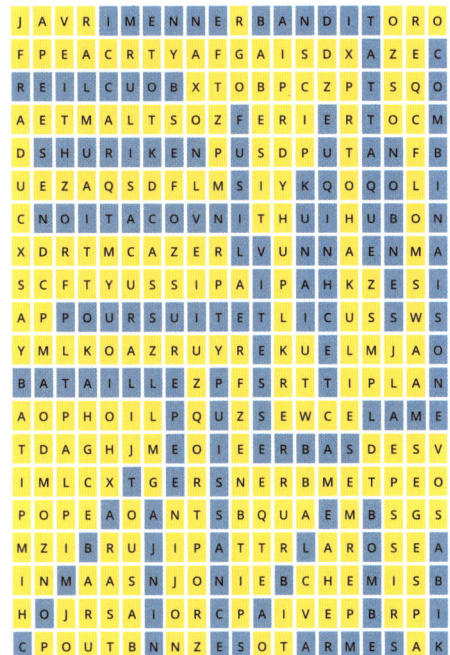

PAGE 6 - LE SUDOKU DES NINJAS :

PAGE 7 - DANS L'OMBRE DE NARUTO :

La bonne ombre est la n°4.

PAGE 8 - J'ARRIVE, SASUKE ! :

PAGE 10 - C'EST LOGIQUE, SAKURA ! :

PAGE 11 - LE COMBAT MÉLANGEUR :

SOUD	KASURA	RUTONA	HAUK
DOSU	SAKURA	NARUTO	HAKU

AGARA	CORK ELE	HIKKASA	KAUSES
GAARA	ROCK LEE	KAKASHI	SASUKE

PAGE 13 - IRUKA, PRÊT À TOUT ! :

« Il ne faut pas hésiter à se sacrifier pour sauver Naruto et tous les autres enfants du village, si besoin !
Mon père me répétait toujours qu'il faut toujours les protéger.
Es-tu prêt pour ça ? »

PAGE 14 - UNE NOUVELLE ATTAQUE ! :

PAGE 15 - DES ARMES POUR NARUTO :

On peut lire les noms des armes sur les étiquettes reconstituées dans ce sens :

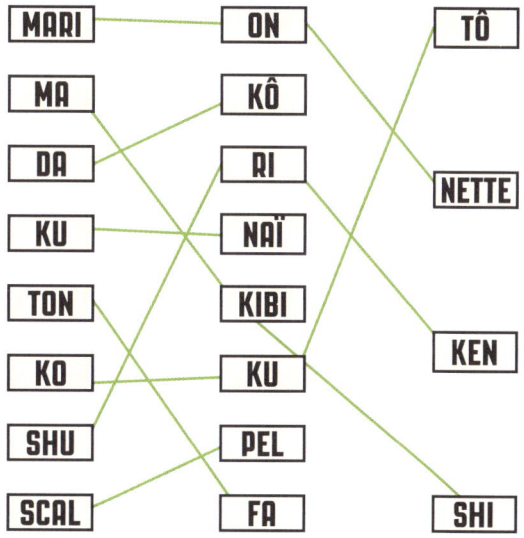

MARI	ON	TÔ
MA	KÔ	
DA	RI	
KU	NAÏ	NETTE
TON	KIBI	
KO	KU	KEN
SHU	PEL	
SCAL	FA	SHI

PAGE 16 - LES ARMES DE TENTEN :

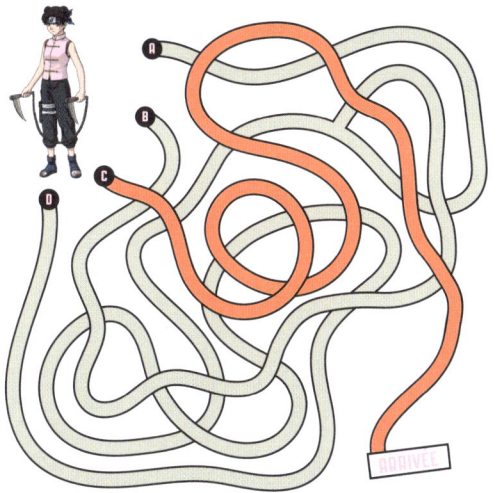

PAGE 17 - OUVRE L'ŒIL, JEUNE NINJA ! :

PAGE 19 - LA PHRASE MYSTÈRE DU NINJA :

J	D	O	J	U	T	S	U	E	N	C	A
E	C	L	A	N	R	F	E	H	C	H	F
O	P	N	I	N	M	O	I	N	E	A	F
N	E	V	B	I	E	O	Y	R	N	K	I
U	S		O	J	K	A	G	E	A	R	N
K	T	M	N	A	N	O	T	U	F	A	I
E	O	I	I	E	S	E	N	S	E	I	T
N	M	U	H	D	S	G	S	T	E	U	E
I	O	S	S	O	R	A	I	U	R	S	M
N	E	T	A	C		K	P	J	M	A	A
B	P	U		A	U	O	E	N	I	N	R
I	A	J	E	S	R	H	A	I	T	N	D
J	Y	I	T	O	L	E	U	U	E	I	U
U	S	A	L	N	F	E	U	F	A	N	M
R	K	T	U	E	G	A	K	I	A	R	U
A	T	O	C	U	S	T	U	J	N	I	K

La phrase mystère est la suivante :
« Je ne reviens jamais sur ma parole »
et c'est Naruto qui l'a prononcée.

PAGE 20 - À L'ATTAQUE, KIBA ET AKAMARU ! :

La bonne ombre est la n° 5.

PAGE 21 - DES COMBATTANTS PAR PAIRE :

Kabuto est le seul à ne pas avoir
de double sur la page.

PAGE 22 - PAROLE DE NINJA ! :

« Je suis un travailleur acharné qui augmente continuellement l'efficacité de mes techniques. »
- Rock Lee
L'ombre de Rock Lee est la n°3.

PAGE 23 - UN PUZZLE EN ÉCLATS ! :

1-F ; 2-D ; 3-E ; 4-B ; 5-A ; 6-C.

PAGE 25 - QUI DIT QUOI ? :

Kakashi : « Dans le monde des ninjas, ceux qui enfreignent les règles sont appelés des déchets. Mais ceux qui ne se préoccupent pas de leurs amis sont encore pire. »
Itachi : « Ce n'est pas en devenant hokage que l'on gagne la reconnaissance des autres. C'est en gagnant la reconnaissance des autres que l'on devient hokage. »
Naruto : « Ce que j'aime, ce sont les râmen ! Ce que je déteste, c'est les trois minutes d'attente avant de servir les râmen. »
Gaara : « La solitude est plus forte que la raison. »

PAGE 26 - 1, 2, 3, COMPTEZ ! :

Il y a 4 shurikens et 8 kunaï.
Le morceau 3 est celui qui ne fait pas partie de la scène.

PAGE 27 - NINJA EMMÊLÉ ! :

Le nom à trouver est Tobirama Senju, le deuxième hokage à l'origine de la fondation de l'Académie.

PAGE 28 - LES QUALITÉS DU NINJA NARUTO :

PAGE 30 - VRAI OU FAUX ? :

1/ Vrai.
2/ Faux. Il s'appelle le rocher des Hokage.
3/ Faux. Le Grand Pont de Naruto relie le pays des Vagues et le pays du Feu.
4/ Vrai.
5/ Faux. Les cinq grands pays ninjas sont le pays de la Terre, le pays du Feu, le pays de la Foudre, le pays du Vent et le pays de l'Eau.

PAGE 31 - ENTRE DEUX COMBATS :

PAGE 32 - LA PHRASE MYSTÈRE DE GAARA :

La phrase de Gaara est la suivante :
« La paix n'a de sens que si elle peut
être atteinte dans le monde réel. »

PAGE 33 - AFFICHE EN MILLE MORCEAUX ! :

PAGE 34 - OUVRE TES YEUX ! :

Orochimaru est le seul qui n'apparaît
qu'une seule fois sur cette page.

Direction : Guillaume Pô
Direction éditoriale : Juliette Spiteri
Mise en pages : Amstramgram
Conception des jeux : Adeline Michel Tran
Direction de fabrication : Thierry Dubus
Fabrication : Florence Bellot
©2002 MASASHI KISHIMOTO
© Fleurus, Paris, 2022, pour l'ensemble de l'ouvrage.
www.fleuruseditions.com

ISBN : 9782215181637
MDS : FS81637
Tous droits réservés pour tous pays.
Loi n°49-956 du 16 juillet 1949 sur les publications
destinées à la jeunesse, modifiée par la loi n°2011-525
du 17 mai 2011.
Imprimé sur du papier PEFC™
Achevé d'imprimer en mai 2022 par Edelvives en Espagne.
Ce livre est imprimé avec des encres végétales et est
composé de matériaux issus de forêts bien gérées,
certifiées PEFC™ et d'autres sources contrôlées.